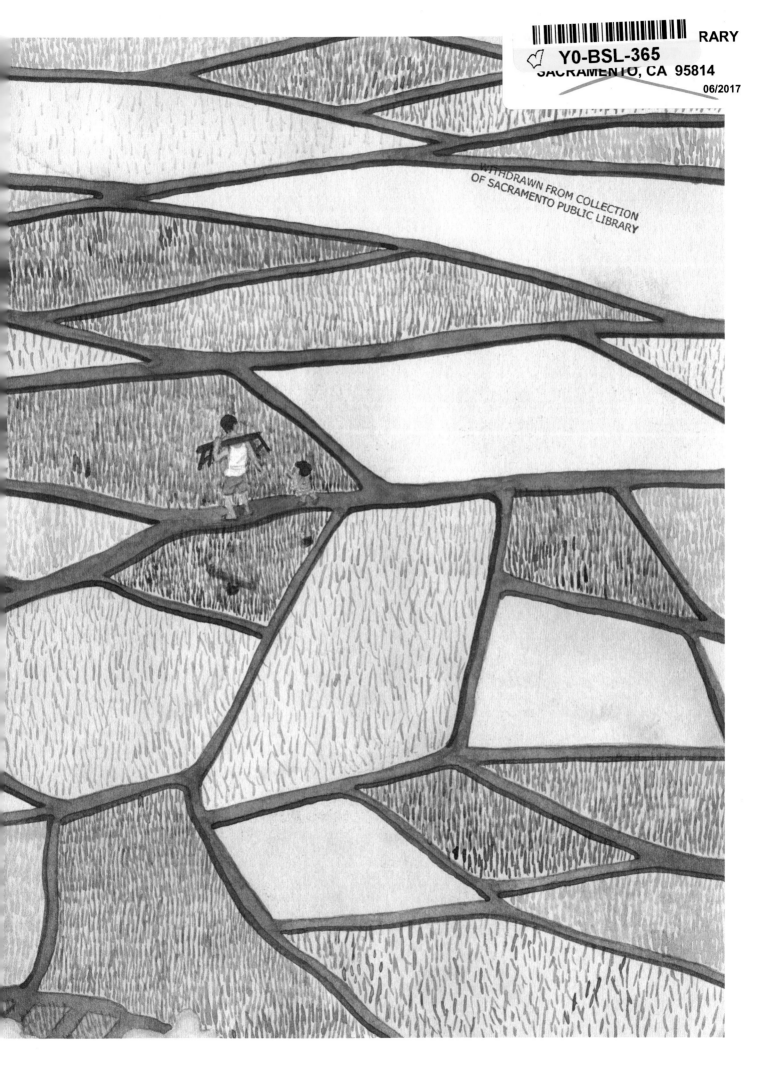

哥哥带着小妹妹，
穿过稻田，
去远处的农场看电影。

中国风·儿童文学名作绘本书系

肩上的电影

曹文芳/文　阿　乌/绘

希望出版社

夏日，一片片稻田绿油油的。哥哥扛着大板凳，小妹妹尾随身后，沿着田埂，一起去远处的农场看电影。

哥哥和小妹妹穿过绿油油的稻田，
又走过一座座木桥，走到一条大河边。

青草覆盖的河岸上站满了扛着板凳看电影的孩子，他们都在等待过河。

　　放渡船的大爷把小木船从河西划到河东，又从河东划到河西，一趟接一趟，忙碌不停。

　　等到他们上船，哥哥把大板凳搁在船舱里，让小妹妹坐在板凳上。船晃动，小妹妹有点慌张，哥哥紧紧抓住小妹妹。

过了大河，哥哥又扛起板凳，拉着
小妹妹走进两侧长着高高白杨树的小路。
路边的青青藤蔓间撒满点点小蓝花。

小妹妹停住了脚步，想摘一些小蓝花插在黑漆漆的辫梢上。

　　哥哥提醒小妹妹："快走，去迟了，别人把看电影的好地方占去了。"

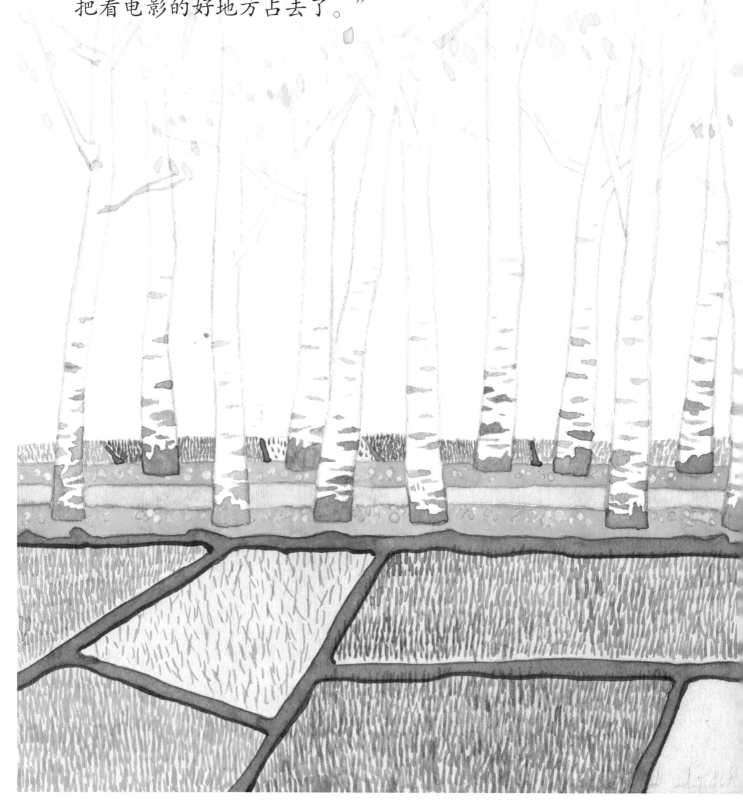

小妹妹一听，飞跑起来。

哥哥和小妹妹恨不能插上翅膀，一瞬间飞到放电影的农场。

农场在绿茫茫的田野中间。

放电影的叔叔还没有把银幕挂好，农场上已经放满了长长短短、高高矮矮的板凳。

哥哥把板凳放在中间，离银幕不远不近，占了一块好地盘。

　　哥哥坐在板凳上，小心翼翼地守着地盘。

小妹妹站在板凳上挥舞小手。

没有占到中间地盘的孩子们，

向兄妹俩投去羡慕的目光。

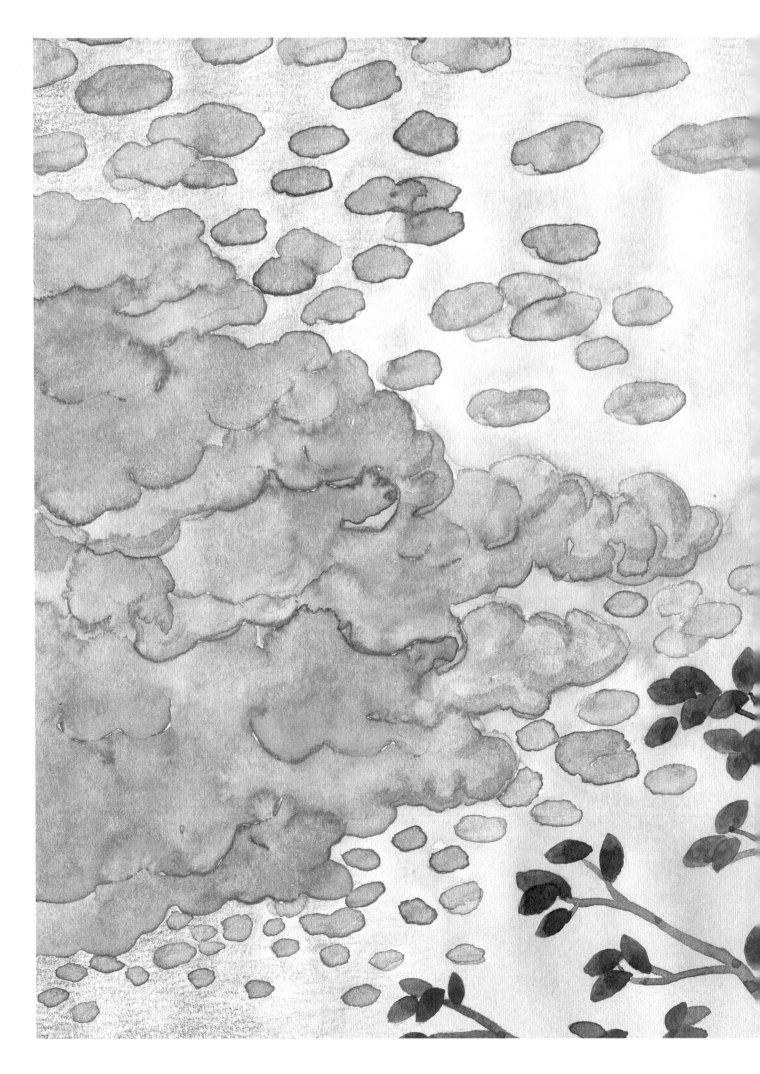

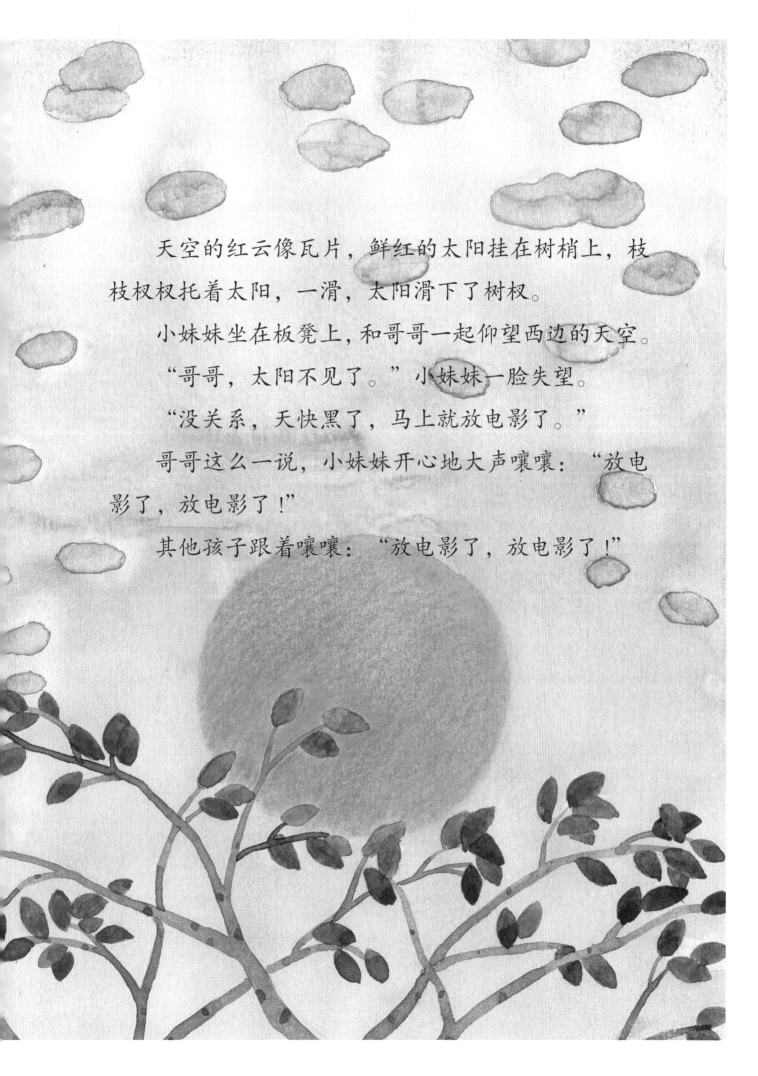

天空的红云像瓦片，鲜红的太阳挂在树梢上，枝枝杈杈托着太阳，一滑，太阳滑下了树杈。

小妹妹坐在板凳上，和哥哥一起仰望西边的天空。

"哥哥，太阳不见了。"小妹妹一脸失望。

"没关系，天快黑了，马上就放电影了。"

哥哥这么一说，小妹妹开心地大声嚷嚷："放电影了，放电影了！"

其他孩子跟着嚷嚷："放电影了，放电影了！"

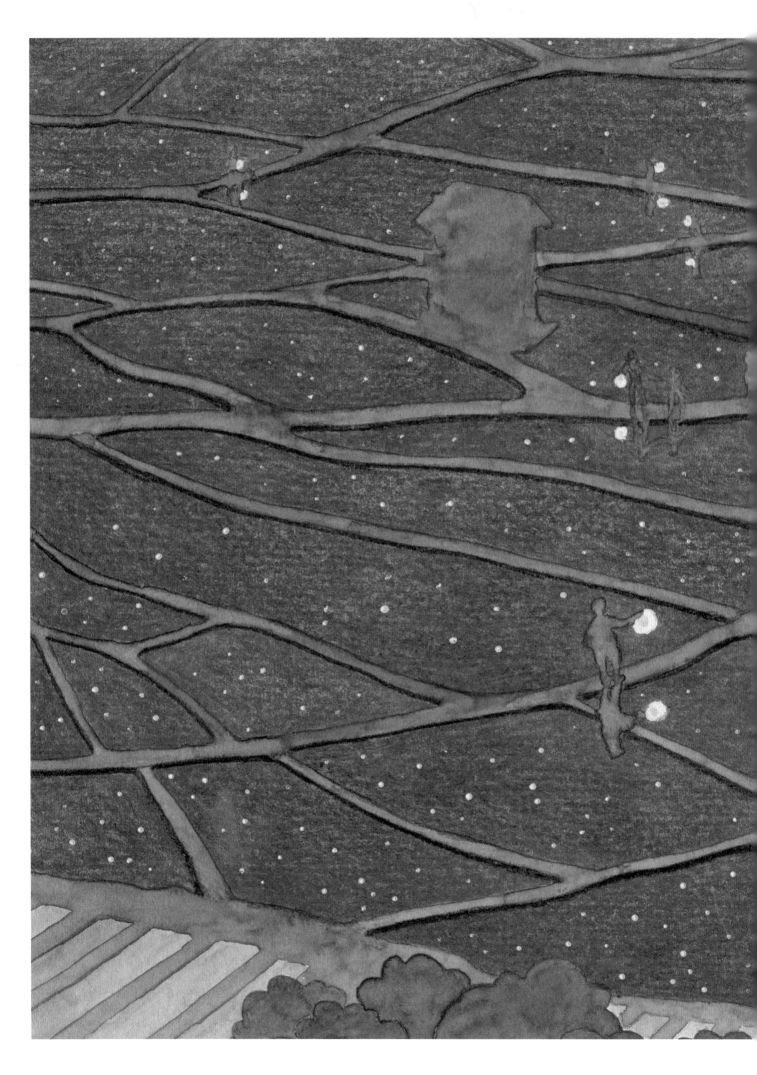

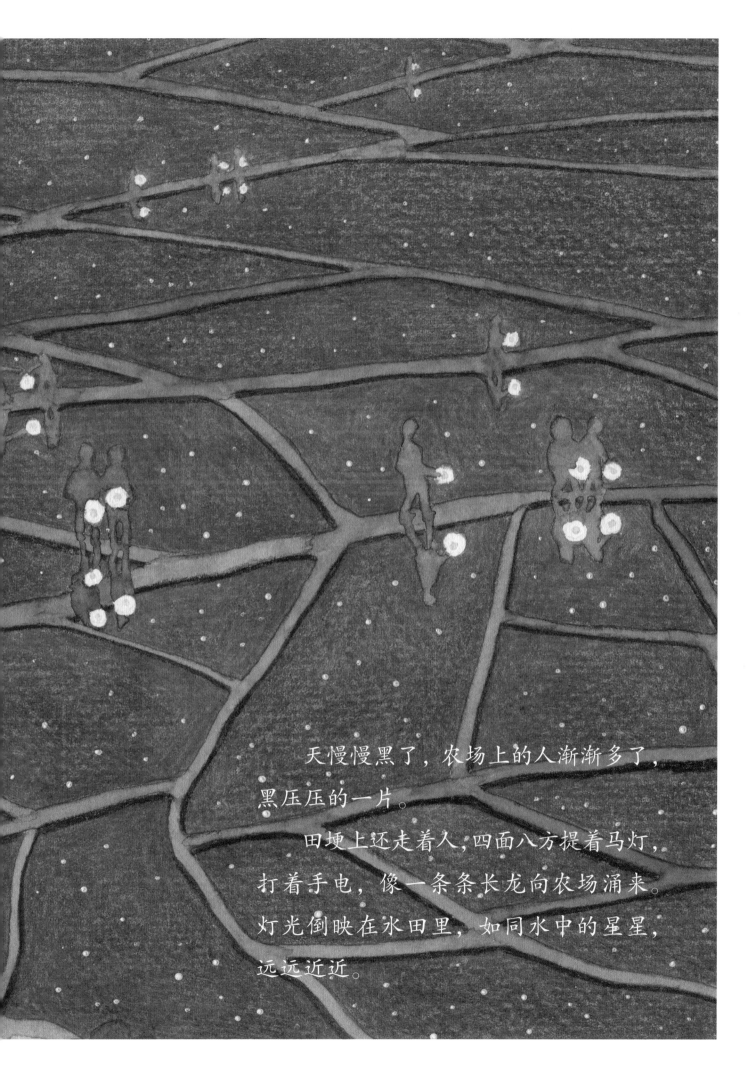

天慢慢黑了，农场上的人渐渐多了，黑压压的一片。

田埂上还走着人，四面八方提着马灯，打着手电，像一条条长龙向农场涌来。灯光倒映在水田里，如同水中的星星，远远近近。

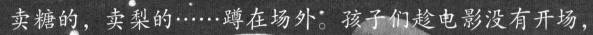

看电影的人空前得多。银幕前后站着人，农场四周的树上爬满了人，像落了一树的大黑鸟。

卖糖的，卖梨的……蹲在场外。孩子们趁电影没有开场，买东西吃。

小妹妹嘴馋了，想让哥哥给她买梨吃。

哥哥怕占来的好地盘被别人占去，不敢出去买。

可小妹妹一直站在板凳上，盯着那群买梨的孩子看。

哥哥带着小妹妹从人群里挤了出来，买了一只梨子，掉头带着小妹妹往回挤。

　　电影开场了，他们挤不进去了，那么好的地盘，连同板凳都被人占去了。

　　小妹妹拿着梨子，急哭了。

哥哥哄小妹妹:"别哭,哥哥带你坐到草垛上。"

哥哥拉着小妹妹跑到农场边的一座草垛前,

傻眼了,高高的草垛上坐满了人。

哥哥拔了一把稻草，带着小妹妹挤到前面，挤出屁股大的空地，把稻草铺在上面。坐在稻草上看电影，小妹妹又开心了。

电影换片，漆黑的农场亮起一束光。

孩子们把手伸到投射灯前，又把屁股底下的稻草揪一个草疙瘩扔，于是银幕上有了一只只大手和飞舞的黑团。

　　小妹妹也想把手伸到投射灯下，可他们离投射灯太远。

　　哥哥抱起小妹妹挤啊挤，一直挤到放映机前。哥哥抓着小妹妹的小手在投射灯前摇动，银幕上投射出哥哥的大手和小妹妹的小手。

　　小妹妹兴奋地大喊大叫。

　　转眼间，银幕上放影片了，哥哥和小妹妹前面站满了人，宽大的背影像一堵墙，没有一丝缝隙。

哥哥一直让小妹妹骑在肩头，汗淋淋地站在拥挤的人群里，根本看不到银幕，眼前始终是黑漆漆的一片。

电影结束。

人群渐渐散去，放映机的光亮熄灭了。

清亮的月光下，有一条板凳孤零零地落在农场的中间。

哥哥双手端起板凳，背着昏昏欲睡的
小妹妹往回走。

寂静的田野，不时地响着几声蛙鸣。

远处散场的人群，闪闪烁烁，
渐行渐远。

河岸上站满了扛着板凳看电影的孩子们。

中国风·儿童文学名作绘本书系

曹文芳 / 文　阿　乌 / 绘

肩上的电影

图书在版编目（CIP）数据

肩上的电影 / 曹文芳文 ; 阿乌绘 . —— 太原 : 希望
出版社 （ 2016.7 重印 ）
（中国风·儿童文学名作绘本书系）
ISBN 978-7-5379-7250-5

Ⅰ . ①肩… Ⅱ . ①曹… ②阿… Ⅲ . ①儿童文学 –
图画故事 – 中国 – 当代 Ⅳ . ① I287.8

中国版本图书馆 CIP 数据核字（2015）第 065741 号

出 版 人：梁　萍
项目策划：王　琦
责任编辑：宸源雪　田意可
复　　审：田俊萍
终　　审：王　琦
美　　编：王　蕾
封面设计：半勺月
装帧设计：山西天辰图文有限公司
印刷监制：刘一新　尹时春

出版发行：希望出版社
地　　址：山西省太原市建设南路 21 号
邮　　编：030012
经　　销：全国新华书店
印　　刷：山西臣功印刷包装有限公司
开　　本：889mm×1194mm 1/16
印　　张：3
版　　次：2015 年 9 月第 1 版
印　　次：2016 年 7 月第 2 次印刷
书　　号：ISBN 978-7-5379-7250-5
定　　价：35.00 元

【作者简介】 **曹文芳**

　　1966 年生于江苏盐城。曾是乡村师范学校的舞蹈教师，现为幼儿教师。发表过长篇小说《香蒲草》《天空的天》《丫丫的四季》《荷叶水》《云朵的夏天》，短篇小说集《栀子花香》，散文集《肩上的童年》等作品。作品曾获冰心图书奖。